劉福春・李怡 主編

民國文學珍稀文獻集成

第三輯

新詩舊集影印叢編　第117冊

【臧克家卷】

國旗飄在雅雀尖

成都：中西書局 1943 年 11 月初版

臧克家　著

花木蘭文化事業有限公司

國家圖書館出版品預行編目資料

國旗飄在雅雀尖／臧克家　著 — 初版 — 新北市：花木蘭文化事業有限公司，2021〔民 110〕

154 面；19×26 公分

（民國文學珍稀文獻集成・第三輯・新詩舊集影印叢編　第 117 冊）

ISBN 978-986-518-473-5（套書精裝）

831.8　　　　10010193

ISBN-978-986-518-473-5

民國文學珍稀文獻集成・第三輯・新詩舊集影印叢編（86-120 冊）
第 117 冊

國旗飄在雅雀尖

著　者　臧克家
主　編　劉福春、李怡
企　劃　四川大學中國詩歌研究院
　　　　四川大學大文學學派
總編輯　杜潔祥
副總編輯　楊嘉樂
編　輯　許郁翎、張雅淋、潘玟靜　美術編輯　陳逸婷
出　版　花木蘭文化事業有限公司
社　長　高小娟
聯絡地址　235 新北市中和區中安街七二號十三樓
　　　　電話：02-2923-1455／傳真：02-2923-1452
網　址　http://www.huamulan.tw 信箱 service@huamulans.com
印　刷　普羅文化出版廣告事業
初　版　2021 年 8 月
定　價　第三輯 86-120 冊（精裝）新台幣 88,000 元

國旗飄在雅雀尖

臧克家 著

中西書局（成都）一九四三年十一月初版。原書三十六開。

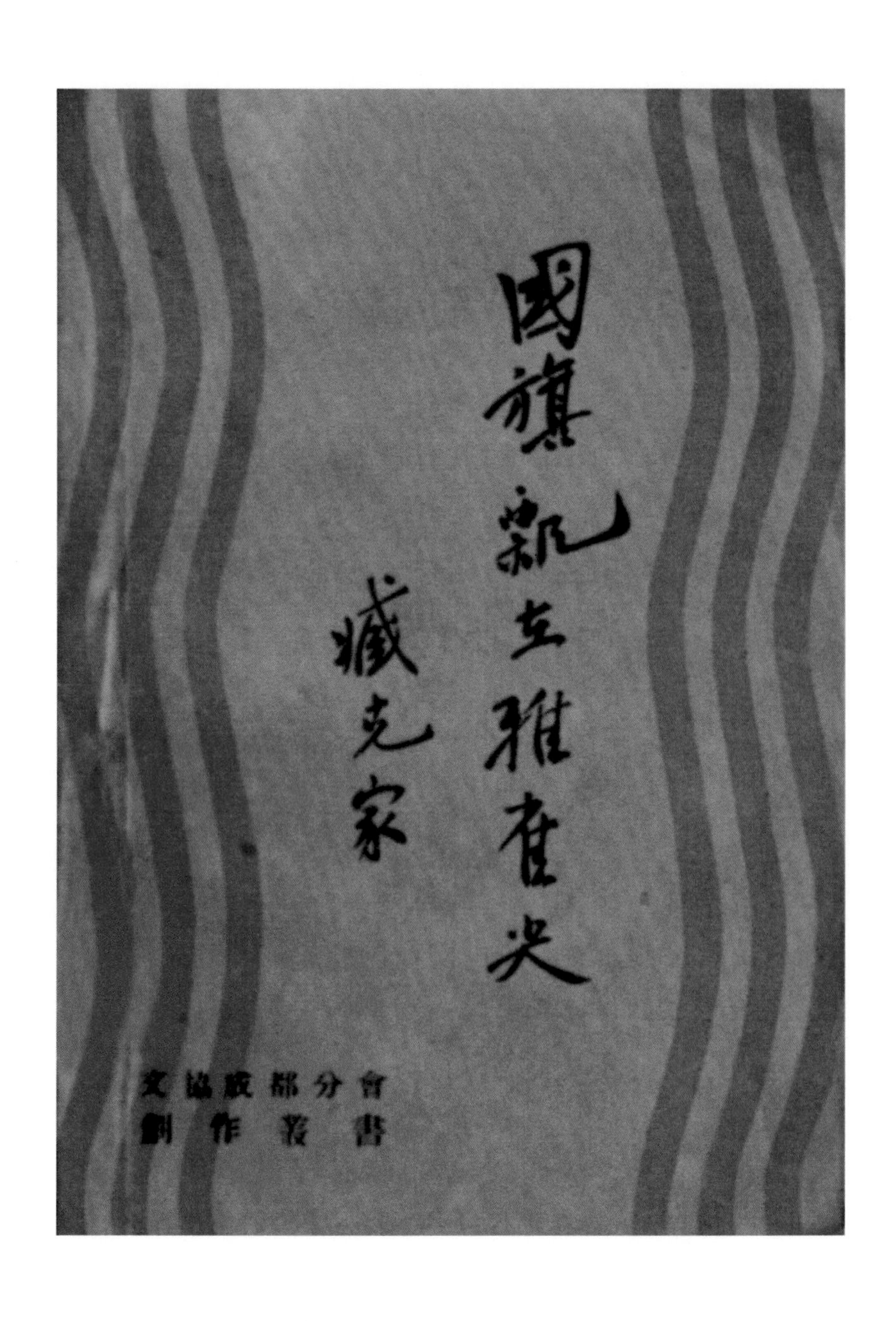
國旗飄在雅雀尖
臧克家
文協成都分會
創作叢書

文協成都分會創作叢書

國旗飄在雅雀尖

臧克家 著

中西書局 印行

封面設計：穆資

小　序

這是幾年來短詩的一個結集。每一首的題目和底下的日子，告訴了寫作的地點和時間——從前線到後方，從抗戰前直到目下。

「中原的胳膊」，「喇叭的喉嚨」兩篇，發表在戰前的「文學」和「作家」上，但均未收入集子，戰後無意中得到了它們，如舊友重逢，別有一般滋味。

「國旗飄在雅雀尖」，「嗚咽的雲煙」，在我不知不覺中，曾被桂林的一位朋友，代搜出書，以後者爲名，初版完了，那本書的命運也跟著完了。我自己很喜歡這兩篇東西，尤其是第一篇的旋律，所以就用了它的名子做了這本詩的名子。

克家・卅二年六月九日
於渝文協西窗下

目　　錄

國旗飄在雅雀尖

二寸照片
留下了一角大別山，
留下了大別山的頂峯——
挺秀的雅雀尖。
三個人影簇擁在山巔，
一張地圖牽着六隻眼，
身邊的草木在風前低頭，
一面國旗飄起了青天。
樹影籠着十個士兵，
深草吞沒了半截腿脛，
刺刀冷亮，鋼盔烏青，
瞪着一雙雙決死的眼睛。

這一張平凡的照片，
包藏的故事可不平凡，
追溯這個故事的誕生，
要把時光倒流上兩年。
那時候，正在保衛大武漢，
那時候，正在保衛大別山，
那時候，這一支常勝的鐵軍
奉令把守這天險——雅雀尖，
他們戰過台兒莊，
他們戰過娘子關，
他們戰過琉璃河，
于今又來戰大別山。
雅雀尖鎮着商麻公路，
雅雀尖鎮着武漢外圍的門戶，
正可以作個尺子，用它的高，
去量它在軍事上的重要。
這一師：兩個旅，三個團，
用機槍，用大炮，
用血肉，用勇敢，
作了它鐵的防衛線，

在敵人的炮彈下，
斗大的石頭飛上天，
在敵人的炮彈下，
人馬紛紛滾下了山岩，
多少弟兄昏倒在地下，。
毒氣在山上散做雲烟；
下了葉家集，
下了商城，
荻洲師團，
憑一股銳氣要攻下這天險
一道嚴峻的命令
下給這一師人，
死，也要守住雅雀尖！
戰況到了緊張的高度，
指揮所從山腰移上了山巔，
這表示了一個決心，
像一張弓把絃拉滿。
向著一張地圖滴心血，
師長同他的參謀人員，
一回他又立起身來，

3

望遠鏡中把眼光射遠，
電話鈴聲叫他說話，
一個團長向他求援，
他說陣地已經動搖，
一團弟兄戰死了一半。
「士兵死了，排連長上去，
　排連長死了，拿營長去填，
　看準你的錶，兩個鐘頭
　我把援兵送到你的跟前。」
沒有兵力給他增援，
給他送去的是國旗一面，
另外附了一個命令，
那是悲痛的祭文一篇：
「有陣地，有你，
　陣地陷落，你要死！
　錦繡的國旗一面，
　這是軍人最光榮的金棺。」
這時候，炮火密得分不開彎聲，
炮彈落在他左邊右邊，
驚飛的石子像雨點，

4

紛紛打在他的身間，
槍彈穿響了頭頂的樹葉，
敵兵已經衝到了山前，
特務連裏十個決死隊。
一個命令跑下了山，
他用完了所有的兵，
而且，把他們放在必死的當中，
頭頂上懸起了同樣的國旗，
他從容的在聽候著電話的鈴聲。

附記： 大別山戰役， ××師奉令扼守雅雀尖，師長黃樵松氏，預作國旗七面，（二旅長，三團長，另外一面是他自己的）在戰局危急時，卽以國旗分贈，示不成功則成仁之決心。雅雀尖敵將衝上時，師長令敢死隊十人衝下山頭後，卽于樹間將國旗懸起，預備作光榮之犧牲，置諸死地而後生，敵人終不得逞。當時在雅雀尖留有二寸照片，至今猶存，敢死隊十名，生還者七人，該師以「雅雀尖七勇士」呼之。

二十九年一月

5

嗚咽的雲烟

像一隻候鳥
馱一面冰天，
搧起翅膀
飛向溫暖——
你的書信
沈浮了兩個季候，
當戰地桃花在風前敗陣
它才飛到了我的眼前。
是一滴淚水
泛濫了紅的堤岸？
看蹂躪不堪的信皮上
一片嗚咽的雲烟。
我向山海關那邊

投一個遙念：

你的心在抖，

手在戰，

不是這麼說嗎？

當你拔開筆管，

窗外的狂風正伴舞著雪片。

陰慘封固著人心，

堅冰給白水加一條鎖鍊，

但是嚴冬不會長久，

春天就在它的後面。

一萬句話

來碰你的筆尖；

千鈞之力

壓住了手腕，

幾次放下筆

又拾起筆，

在紙面上

寫下了二字「平安」。

廿八年十二月

7

家，精神的尾閭

（一）

家，
坐落在夢裏。
烽火
把消息截擱了，
彼此把平安
交托給希望。
當磨難使我
再也咬不住牙齦的時候，
母親的面影
便閃到眼前來了。
當我跌倒在

冰滑的人生的道上，

妹妹的柔手

便把我扶起來了。

黑暗裏，

凶狠的眼睛的箭

一齊向我射過來，

我想到了孩子們，

像看到一道未來的光明。

家，

流浪人的歸宿，

家，

我精神的尾閭啊。

每次看到天邊的綠草，

便想起故鄉的原野來了，

每次看到異鄉的荒郊，

故鄉的秋色使撲個滿懷，

隨着軍旅，

作了將五年的

不揹腰包的旅行，

飲過漢江的水，

9

登過「武當」的擎天峯，
多少千奇百媚的山水，
曾向我的眼睛爭寵；
然而，
我却以初戀的心
愛着自己門前的「馬耳山」，
它永遠把一雙青色的耳朵，
倔強的向着青天。
還有那條小小的流水，
（別人見了也許要發笑）
取名「西河」的，
日夜在我的夢裏潺潺的流，
在這條河水上，
永遠留着我的一個黃金夢。
每次，
低着頭
聽一個人唱「流亡三部曲」，
沒有流淚，
我却黯然了。
當我看到

敵人無恥的砲火
驅散着多少人家的孩子
離開他們的父母的時候，
當我看到
多少骨肉分離前夕
哭得難分難捨的時候，
燈火下，
妹妹和母親的眼淚
所編織的那一幅流散圖，
我又重溫了：
「永世也許不會再見了！」
「胡說！趁着早晨的太陽上路吧。」
永遠轉動在我心窩裏的
母親的心啊！

（二）

三年來，
第一封信在三千里以外找到了我。
信，是十六歲的小叔叔寫的，
（不，抗戰已經給他增加了四歲）
用抖顫的手寫的，

11

用抖顫的心寫的，
用血和淚寫的。
一個句子
報告一消息，
一個消息，
心，一下悸動！
那是在讀一封家信，
我是在讀着
一篇不堪卒讀的「陳情表」呵！
（我沒法再禁錮自己的眼淚了，
就讓鐵石是我的心！）
二叔，
（論年齒，他還是一個孩子，
雖然他已做了兩個孩子的父親）
死在漢奸的槍下，
組織游擊隊
是他的罪名。
但是，小叔叔筆下寫着的，
不是「漢奸」兩個字，
是「有槍者」一個代名詞。

十幾口人
仰賴活命的幾十畝土地，
都被沒收去了，
剩下的，
只有十幾張口。
我彷彿看見：
一羣強盜
用貪婪的眼睛，
用粗暴的手，
蒐着，掠奪着
每一件東西。
（像爭奪一堆骨頭的狗子）
這些東西，
可以編成一部家庭史，
有多少是幾代傳留下來的，
有母親穿了幾十年的，
幾乎成了一張光板的老羊皮襖，
有妹妹辛辛苦苦
撿麥子換來的幾個血汗錢，
從賣婆子手裏

14

買來的紅紅綠綠的花布，
（也有我教書回家時，
給他帶來的禮物）
有孩子們
一些心愛的玩具，
還有，我讀爛了的
朋友似的書册子……
這一些，
帶着母親的心，
帶着孩子的心，
帶着妹妹和我的心，
一齊拖着哭聲被抓跑了。
（另換一個陌生的主人，
它們不甘心！）
我可以想像：
在雪亮的刺刀底下，
孩子們可憐的樣子；
我可以想像
母親和妹妹那狼狽的情況。
當槍口對準胸口，

13

羔羊一樣
被迫走開了自己居住過。
几百年的家鄉。

（三）

四年來
第二封信又落到我的眼前來了，
依然是小叔叔的手筆。
他告訴我：
「院子裏的荒草
長得比窗台都高了，
房子露着天空，
全村子裏找不到一條狗，
人，還有個把，
但，那是最壞的壞蛋了。」
他告訴我：
秋季，
大旱枯死了豆子，
而太陽，
不讓天空站住一片雲彩，
人，被恐慌驅走，

成千成萬的
走上可以活命的路途。
（一個一個村莊
都變成墟墓）
他說，
一個重担子
壓在他年幼的身上，
只有用長夜不眠的愁眼
來報答一切。
他說，眼看一家人
就要墜入死亡，
但，一想起我在外邊生活得很好，
急漲的，（註）
枯涸的心，
在死滅裏看到了一條生命的光。
他說，
秋風已經催冷了，
一家人還穿着夏天的衣裳，
他說，
往昔一天的飯，

10

現在拿來充十天的饑腸，
孩子餓得哭，
大人傷心的哭，
哭聲日夜
繞着借來的異鄉的
三間屋子的空梁。
他說：
「提筆問你，
淚下不能禁！」
他說：
「今生今世有離無會矣！」
他說：
「一家老幼
已經做了環境的犧牲。
但願你爲國努力，
保重自己！」
爲了安慰我，
他忍着悲痛
再加上幾句：
『無論怎樣，

[illegible]

在餓死以前
我要盡上全力，
維持我們的家庭
到最後一步！」
最後，他又請我原諒，
把這些不該告訴我的消息告訴了我，
全是出于急濕！

（四）

我懷着這封信，
像懷着一塊冰，
從此，
我再沒有溫暖了。
在北風揚雪的日子
我展開讀它，
我再也不覺得身子寒冷；
在貪慾的喉頭
把嚥粗飯的時候，
一想到它，
我便覺得什麼都是甘甜的了。
深夜，

爲惡夢所驚醒，
我又把它打開了，
呆呆的淌淚，
對着一盞孤燈。
當我陷入寂寞的時候，
當失望抓緊住我的時候，
當我獨個兒
登上古城頭北望的時候，
我誦讀着它，
風，
把我的悲傷
直吹訴上蒼空。
今天，
在戰地小窗前
在陽光照耀的底下，
我又把它展開來，
手和心
同時在寒冷之中戰動！
家，
我精神的尾閭呵，

家，
我預備解除征衣的窩巢呵！
你像一把刀子
截破了
我溫柔的夢；
打碎了
我惓戀的鄉情；
斬斷了
我拖得老長的懷舊的尾巴，
和記憶的絲纏。
使得我
像人生戰場上
斷了後路的一個兵，
爲着同樣命運的母親，
爲着同樣命運的孩子，
貢獻出自己的生命
去和罪惡
作你死我活的鬥爭。
春風，
它不會忘記故鄉的焦土，

一切生命，

在爭取一個合理的秩序。

三十年十二月十四日

註：慈派，無可如何之意。

柳蔭下

幾株垂柳
鋪好了一地蔭涼，
八九匹戰馬
拴在柳腰上。
馳騁過疆場的鐵蹄
閒敲著午睡的大地，
陽光點了它一身銀花，
尾後驅打著逗它的蠅子。
木鞍弓著腰
做閒散的夢，
有一種
卸却了責任的輕鬆。

（彈藥卸在前綫，
　它們又囘程。）
槍身
靠在樹身上，
彷彿找到了
一個愜意的依傍。
五六個弟兄，
一個人一個式樣：
額上生薄汗，
口水像饞涎，
甜睡在光地上，
像傍著母親的胸膛；
有的解開戎裝，
去接受柳扇搖來的淸風，
看白雲在天邊遊走。
聽悠揚的蟬聲。
有兩個對坐著聊天，
每人口裏啣一支煙，
話，多半天沒有一句，
一支煙却吸它個多半天。

23

「公園裏今晚放演『台兒莊』」。
一位老鄉作了個義務宣傳，
「老王，咱們也去看它一眼，」
說了這句話，臉色却很平淡。
（那個場面在心頭一閃）
老王向他的伙伴望一望，
眼光正碰到了那顆勳章。（註）
（光芒四射的太陽）

註：　卅軍在台兒莊造成光榮戰績，每人得獎章一顆，形如太陽，邊緣作光芒狀，中橫「台兒莊」三個紅字。

廿九年七月

黎明鳥

黑夜，
這個可怕的魔王，
在它的領域內
大施鬼蜮的伎倆。
它把人騙到夢鄉中，
在那裏放排好一個惡夢，
然後，把牆壁點化成鬼臉，
角落裏埋伏好獰笑，
呼來狂風，
呼來海濤，
（如果是在海濱）
招致了烏雲抹去了星星，

再命令廚房裏的雞扳
按着悲哀的節拍奏出夜聲。
把這一切佈置個停當，
猛一下，揭開了你的眼睛！
身子不敢動一動，
像聽從了誰的命令，
想要叫喊，
口却不出聲，
心在狂跳，手在僵冷，
瘋狂撼搖著每條神經……
這時候，早醒的鳥兒
給夜撞喪鐘，
聲音不像是來自樹間，
像是來自東方的天空。
像夜遊魂
聽到了喔喔的雞聲，
黑暗的山岳崩裂了，
恐怖不再佔有人類的心胸。
這鳥兒，看不到它的形體，
（它的顏色一定火樣紅）

牠叫不出它的名，
（喚它做黎明鳥吧，
　因爲他最先接近光明）
它的聲音
是喜悅，是和平，
是活力，是新生，
它將喚到一個
金光燦爛的黎明。

廿九年曾勵

27

臨明黑一陣

小引

古時候的一個淫亂的君王，
一場糊塗夢做到天光，
「臨明還要黑一陣」，
他的金口斥暗了紙窗。

獨輪小車
碾得大地吱吱叫，
像浪裏行船
一步低，一步高，
古道崎嶇有如人生，
好使旅客作障碍賽跑。
砂石把車輪

蹭得一身創傷，
車把子裹著繩索
像裹著綳布一樣。
這小車
是骷髏一架，
一顛簸，
骨塊就要分家。
它的主人——
六十歲的一個老頭，
車輪子
轉走了他幾十個春秋，
風塵染蒼了鬢絲，
一步一喘息，那麽吃力，
脚跟彷彿要帶起地皮。
車輪子
在老轍裏深陷，
只聽見它叫喊，
老半天才轉一個圈。
隔一條鴻溝
（世紀的深塹）

29

公路似鏡面，

看汽車馳過去

噴一天塵煙，

看人力車轉，

看自行車轉。

看往來的人們

追在各色的希望後邊。

而他，任憑秋風吹的再淒厲，

任憑客人狠毒的埋怨，

已成鞭策不動的老馬，

他何嘗甘心落在後面。

「一天一百二十里，

　兩頭太陽看得見，」

口裏的壯語

說着當年。

車輪子一天停止，

飢腸就開始轆轉，

車子停在那裏，

那裏就是家園。

披著星光離開荒村，

把他迎進野店的是黃昏，
燒一鍋煙濕暖自己，
店主朋友似的殷勤。
晚飯後，
眼睛和燈光說話，
呆一回，
牆角裏的草墊上把身子倒下，
牆壁上，
征人們用血淚
塗滿了傷心句，
像一張張愁臉
向人說著飄零苦；
少有英雄的手跡，
用挺硬的心
挺硬的筆，
寫著：「埋骨何須桑梓地，」
一閉眼，便入夢，
牆壁對他是一張白紙。
第一遍雞聲把他催醒，
搜到院子裏，冒著箭頭的晨風，

31

仰頭望一望時計——
一天燦爛的星斗，
然後喚醒客人，
點一盞小燈。
「雞聲茅店月，
　人跡板橋霜，」
車子推出門來，
他入了這個詩境。
東方的天空
是一面大旗，
旗面上繡著星花
繡著變幻多姿的雲霓，
它是太陽的前鋒，
給人間一個光明的啓示，
「臨明黑一陣」，
心下念想著，推動了車輪
千萬條金箭射出東方，
車輪子碾在
黑暗與黎明的夾縫上。

二十九年十二月

第一朶悲慘的花

——弔屈原——

詩人，
這兩個字
就清楚的說破了一個命運：
一副硬骨頭，
一肚子憤懣，
一個高尙的頭腦，
一眼睛的看不慣。
身子扎根在現實的汚泥裏，
却怕自已的潔白
被這汚泥沾染，
把一雙靈魂的眼睛
投出去，

我得比現實
更高，更遠。
向醜惡
要美，
向虛偽
要眞，
按着眼前的齷齪
要它的反面！
以小孩子的天眞
哭着去要它們，
以飢寒者的迫切
呼號着去要它們，
以火樣的熱情
去要它們，
以死
去要它們！

這樣，詩人，
就同悲慘的命運永遠的握手了。

爭一個「不雅的綽號」，
窮愁，孤苦，
摔倒在人生的獵道，
肚皮同靈魂
一般飢荒，
他嫉恨流俗，
就同流俗嫉恨他一樣。
如是，
他流枯了淚泉，
如是，他用自己的明槍
或世人的暗箭，
把沒有成熟的生命，
把寃抑，
把悲酸，
把理想，
把命運，
統統裝進了三寸黑棺，
讓詛咒和贊頌
在人們的口角上流傳，
泥土，

35

早把他的雙耳封嚴。
屈原——
第一朵悲慘的花
開在詩國的田園。

權威者的耳朵
從來就粳
讒諂的風
沒定向的吹；
忠言打進去
比釘子打進石頭裏去
更難！
權威者的眼睛
專找逢迎的臉，
今天，他高了興
你便得寵；
明天打下去，
那算你犯了災星。
你覺得天大的了不起，
他隨便一句話就把你決定，

他聽得太多，
他看得太多，
那有那份閒情
去分辨是非和奸忠。
當寵愛的光
照臨着你，
你的手
可以發號施令，
叫抱負
開出現實的花，
叫事業
說出忠貞的話；

當讒言
攻破了易變的君心，
當懷疑
頂替了信任，
你便被擠下政治舞台，
（別人在扮演一場糊塗戲，
你在一旁做個清醒的觀衆）
擠到江邊去——

37

去枯槁，
去顦悴，
去呻吟；
吟出你哀怨，愁苦，悲憤，
和耿耿的忠心！
你一條心
想佩起芬芳的香草
（香草，象徵你的人品）
到瑤池去會美人，
（你理想的化身）
叫風雲雷霆
呵護着車輪；
一條心
繫在朝庭，
掛着你又愛又恨的懷王
和千千萬萬楚國的子民。
你清楚，
在人心的天秤上
重輕倒顚，
你知道，

在社會的眼中
黑白淆亂，
你看見，
鳳凰折了翅膀，
雞鶩飛上了天。
你清楚，
你知道，
你看見，
你却不能用一隻手
把它翻轉！
把不住自己的命運，
你帶著疑問去請教詹尹：
「尺有所短，
寸有所長，」
龜蓍回答你
一個絕望！
宇宙這麼寬闊，
却容不下你一條身子，
人生這麼深遠，
思想却沒處安放，

只得緊抱着貞潔，
去追踪彭咸，
帶一顆眷戀的心
跳下汨羅江！
生命就是這樣：
不能去碰死僵冷的社會，
就得碰死在它的身上。
汨羅江水
爲詩人流了
兩千年的清淚，
到今天，上官令尹
依然在人間充沛。

卅三年四月

40

最後的諷刺

——感洪深先生自殺——

事實
這個鉄面無私的證人，
證明了這個消息
不是謠言，是萬確千眞！
「劇人演悲劇」，
有些人把耳朵聳起
去接受這個新奇；
慣用閒話磨嘴唇的人們，
在生風的口角上
又添了一點新的東西；
還有，專爲了看別人的笑話而來到世界上的，
（他看不見自己的笑話臉子）

少不了又要把這一幕劇
拿到別人的面前去表演，
（他一定是一個生動的好演員）
把這一幕劇，
寫在自己心的流水賬中間。
（過些時，再塗去，
　另換一個新的題目。）
你，老是用笑著的眼睛
去看人生的人，
在別人的眼裏
活躍得像春風裏的枝條，
你的心是一支旗子
寒暖和風向你最清晰。
你曾用心血
塑出你的劇中人，
叫他的口說出「諷刺」，
今天，你却同著你的妻子，
用奎寧丸，用一個最悲慘的死，
去對人生作最後的「諷刺」！
我看見，

有的人用自殺
來宣傳自己，
我也看過。
有的人拿死來恐嚇，
來向人間乞求一點什麼東西；
而你，我清楚，
却不是。
我知道，
一隻冷手
在向你的心窩打探；
我知道，
思想的候鳥
使你的步子落得太遠；
向前瞻望，
向後回頭，
一條心掙在新舊的兩端！
眼看親生的女兒
被圍在死神的陣前，
你却不能打救她，
因爲短少了幾個臭錢！

43

（翻手覆手，
　一撈幾十萬，
　天天有活財神
　出現在人間！）

工作
到處找不到人員，
而你的妻子
却在家裏清閒！
（這不是他的心願）
你認淸了苦難，
你却推不倒苦難，
你用眼淚
送下了一把奎寧丸！
你要用它
去統一人生的矛盾，
這些矛盾
射得我心頭出血，
射死了
一顆顆活的靈魂！

流俗的傢伙，
閉上你們的口！
你們加給他的堂皇的責備，
在他心的天秤上
已經上下過幾千萬次！
「自殺是弱者」，
這話應該出自強者的口，
是的，流俗的人們阿，
你們是決不會自殺的！
人生對你們，
像糞坑對于一堆蛆蟲，
戀著香艷的肉，
戀著靡靡的聲，
戀著國難財，
戀著一條天梯用白骨砌成！
（想叫人間放點光明，
　除非把這些渣滓滌淨）
心頭上的敵人
比當面的敵人更可怕，
因爲，一個戰場縱橫千萬里，

45

一個戰場却只有一方寸。
（看不見紅血，
　也聽不見聲音！）
你這個悲慘的消息
擊破了我悶在心裏的一個秘密，
（同時也擊破了多少人的！）
我心的鉄閘
被一隻同命運的手打開了，
流出來的濤浪
洶湧在生命的大海上。

卅年八月十六日

對　話

靈——

好久了，我的良心逼著我

向你說一聲「對不起」！

實際上，我也淸楚，

這三個字並不能解消我的歉意

和你的痛苦。

多少年來，我糾纏著你，

像菟絲糾纏著豆棵子，

你因爲我煩惱，消瘦，熬煎

在人間地獄的油鍋裏……

肉——

你的話使我的臉變成一塊紅布。

豈着磨難打縮，我就不敢來到這世界上，
或者用死去逃避；
苦痛是我喝慣了的酒，
苦杯底下有人生的真味——
至少，它表示一個人還沒有死。
我感謝你，我借了你的眼睛
從斑駁燦爛裏
辨認出眞理的顏色．
從紛呶喧囂裏
聽出了是非的聲音，
你，把我放在了一個位置上，
教給我從那個角度上去看一切。
鐘——
是的，這樣，平靜和安逸
就遠離了你。
當世界上多數人
在睡眠中去尋他們「夢」的時間，
你却被一根思想的棒子
撐住了眼皮，
別人糊塗的活著，

混一天是一天，
而你，一舉起腿
就先問這一步的意義，
聽不慣，看不慣，
氣憤要衝破肚皮……
肉——
是你成全了我。
我不能想，一個沒有靈魂的人怎樣活著！
我曾經看見過無數的人
用不同花樣的商標，
標賣他們的靈魂，
名利權勢是代價，
他可以挑著吃，選著穿，
他可以用聲音，顏色，金錢，
去填補慾壑和內心的空虛，
他們吃得又肥又白，
像去了毛的一條豬；
他們睡得甜，
因為他們從來不去想明天。
靈——

49

在眼前的世界上，
因為我的蟄伏，
你就成了苦痛的營壘，
有些人望著你就像望著猛獸，
除非沒有機會，
他們對于你決不會放鬆片刻，
從你走過的每個脚步上
去嗅你的蹤跡，
他們的眼睛黑白睜著，
像驢子腿上的「夜眼」，
專會在黑夜裏行事，
而我呢，意向有時也不免和你分歧，
這樣，你陷在雙層的苦痛裏
神經緊張得有一天怕要綳裂……
肉——
已經半生了，我屹立在時代的急流裏，
怒浪衝擊著我。眼看有些人
拚完了最後的一口氣，
便作了勇敢的死；
有些人戰勝了濤浪做了勝利者，

而大多數人則做了水的俘虜;顧慮拂下了,
把靈魂衝碎,剩一個空殼子。
我用了恐怖的眼睛看著這一切,我沒有動,
因爲我知道水的無情;我沒有動,
我茫然的站立著,站在不進則退的潮流中,
我感到孤寂的難耐,我感到一個人立在圈子外,
水流得那麼急,人同水鬪爭得又是那麼猛烈。
靈——
站立著,觀望著,已經好久了。
你並不安于你的地位;
如果,你的脚步一動搖,那就不堪設想了。
是時候了,你應該選定你要去的路,
站,也該站得腿痛了。
肉——
在這破舊的人生的旅館裏,
冷落之感已經叫我有些難耐了
過客們的面具,做戲似的,看了覺得可怕又
　可笑,
友誼,愛情,對于我已成了不動聽的名詞,
富貴的浮雲呵,名利這拴人的繩索呵,

51

我要抖一抖身子……

靈——

你早該如此了。你把自己抵押給經驗，

換得一時的苟安，但這押期已經快要滿了。

苟安，對你就是不安。

白天，你被苦惱的鞭子驅策著走來走去，

夜裏，你在牀板上翻打著身子，

我伴著你受熬煎，我爲你流著同情的眼淚。

你的舊夢太多，又太燦爛，

但是，夢破了，就不要想再圓起來，

情感的網捉住了你，

它牽著你的手脚，使你無法向前移動……

肉——

再站立著不動，我將僵成化石！

我看見一羣人以百米賽跑的速度

從我身邊跑過，向著一個目標跑去了；

另外一羣，另外一個方向。

啦啦隊吶喊著，迫近終點時

羣衆鼓破手，喊破嗓子的嚷鬧，

我的心也被鼓盪起來了。

牽絆，用一點痛苦的手術吧！

姑息，就是自殺！

想到明天，忘了昨夜吧，

記念著前路，把過去葬埋在記憶的深處吧。

靈魂，我苦難的朋友，我的燈塔，

我將順著你的指點跨上一大步。

卅一年八月.

無名的小星

我不幻想
頭頂上落下一頂月桂冠，
我只希望自己的詩句
像一陣風，吹上大衆的心尖。

你知道，
我是一個野孩子來自鄉間，
染著季候色彩的大野
就是我生命的搖籃。

爲了生活的壓榨
我陪同農民歎氣，
命運翻身的日子
我也分得一份喜歡。

[illegible]

他們手下的鋤頭
使用得那麼熟練，
順手一拖，閃出禾苗，
把一叢綠草放倒在一邊

工人的神斧
也叫我[illegible]奇，
一起一落
迦合着心的標尺。

時代巍峨在我的眼前，
面對着它，我握緊了筆，
我眞是一個笨伯，
怕人喊做「靈魂的技師」。

我願意是一顆無名的小星，
默默的點亮在天空，
把一天濃重的夜色
一步步引向黎明。
（一盞生命的天燈）

中原的胳膊

你可曾看見過
十年的老關東回到家門，
一個神祕的包袱
打動了無數的人心？

「還鄉的關東客下了賊店」，
你也該聽過這樣的故事，
「他的財貝
殺了他的身子」。

你也少不了這般的鄉人，
鄉井對他們失了溫馨，
背著債主，躲開人眼睛，

雪夜裏「起黑票」全家闖關東。

一輛獨輪小車
馱着土的人，土的破爛，
捲起來一道塵煙，
就彷彿旱地裏行船。
關東，可不像
什麽「西出陽關無故人」，
關東是伸出去的一支胳膀，
它和中原關連着痛癢。

一出了「天下第一關」，
人，頓然大了胆，
半空裏降下了
逢生的傘。

關東是上帝給中華民族
儲備的寶庫，
三分勞力
給你七分酬勞的東西。

夏天的大野是一片綠海，
管許你一眼望不到邊際，
你眼裏看着心下會發愁
得多少人才吃完這一季粮食！

秋郊上，
金風像猛虎到處捕人，
你瞧，天地都嚇變了色，
生命也彷彿扎不住根！

路徑空虛得像失戀的人，
渴望脚步來踏上串聲音，
村莊和村莊是不世的仇敵，
一個一個躲得遠遠的，
裏面的人却恰翻個「個」，
見個生客心直噴熱氣。

冷冬的景色
也真別緻，
無情的「煙炮」（註一）

造成個有情的回憶，
人把身子裹在一張皮裹，
留兩個小洞關照着臉前的咫尺。

萬年的森林
展開了綠的沙漠，
要想用脚印穿透這神秘，
你得看青色的葉子片片黃落。
這兒有綠水，也有青山，
山水却不能只當圖畫看。
山巒裏嘯着生風的虎，
多嘴的鵔子學着人聲，
有猩猩的羣，
有大隊的熊，
也有美麗的鳥兒
等着人起名。
成形的「參孩子」
黠化作聲，
靈芝和起亂草雜生，
這一些，這一些在等候一個福人

59

當他到山裏去找命運。
江心的木料
綠起了戰船，
沒腿
却能走到天邊，
摩天的高樓給浮雲做家，
是它撐起了都市的榮華。

綠水不是只會繞白山，
它叫河裏閃着黃金，
引來串人點綴河岸，
它叫白沙去磨細人心。

關東的風情我也摸一點，
大姑娘拖一支長的煙袋，
關外的窗戶紙是糊在外，
養個孩子倒吊起來。（註二）

你還有興聽；我却收了口，
你知道我的心卻在悲傷，

60

蒼鷹中原一身是血，

生生的割去了這一條胳膊。

二十四（？）年十月六日

註一： 嚴冬，雪落不能溶，隨風亂揚，造成煙幕，人嘗之，如同利刃。

註二： 關東有三怪——窗戶紙糊在外，大姑娘拖一支長煙袋，有個孩子吊起來。

啦叭的喉嚨

——弔魯迅先生——

讓我對你免去一些
腐爛的比擬，那太空洞，
你是個「人」，有血有肉，
有一條透亮的思想絡住心胸，
你是大勇，你敢用
鐵頭顱去硬碰人生！

潮流的急湍
漩倒了多少精英，
像流沙被捲上了灘，
活屍裏摔死了魂靈；
你是一尊孤島崛立在中流，

永遠清苦的披一身時代的風。

你吶喊，用啞叭的喉嚨，
給徬徨的人心吹上奮勇，
你拿筆桿當匕首用：
用它去剜出黑暗的核心，
用它去劃清友敵的界綫，
用它去剗斷黑暗的老根！

死的手在你胸口上壓一座泰山，
死的消息怔住了一刻的時間，
一刻過後，才聽見了哭聲，
暗笑的也有，
笑由他，哭也是無用，
死的是肉體，
你的精神已向大衆心底去投生！

二十五年十一月四日

木刻家

戰士的武器
是槍筒，
而你把握的
是小刀一柄。
戰場上
沾染著紅血，
縱橫著屍體：
辦公桌——
你的戰場上
却零亂著
雜色的畫刊，
黑的油墨，

和一疊一堆梨木板子。
一大早，簽到册子上
還沒塡上一個人名，
你已經獨個兒坐在那裏凝思。
下午，下班鈴解放了所有的人，
而你的「人物」
却把你留在那裏。
從「最後關頭到了」，
你刻飛機，刻戰士，
刻流浪的孩子擒著淚滴，
你想用刀尖
刻出敵人的眞面目，
你想把這解放的戰爭
整個兒挫在自己的筆底。
然而這你也難得推拒：
一個報頭
送來了，
一個圖案
送來了，
按期交貨，依樣葫蘆，

65

因爲你是木刻家，
這是你的責任和義務。
刻呀，刻呀，
後槽裏掉了兩顆牙齒，
刻呀，刻呀，
縐紋爬上了你的面皮，
刻呀，刻呀，
把血肉刻進了木頭裏去，
刻呀，刻呀，
你的年齡
開始嘲笑你的臉子。
別人也開始笑你了：
笑你的綫條太細，
笑臨摹
壓倒了創造力，
笑你沒有生活，
你的天地就是這一間辦公室。
你何嘗不想
海闊天空的飛，
飛到前綫，

飛到天邊，
料生命
充實作品的生命，
料生活的綫條
加強木板的線條。
然而，你想飛，
除非在夢裏！
八口的家
是你脚上的鎖子，
他們從徐州流亡出來，
撇掉了田產
和所有的家私，
現在，你就是他們活命的土地，
你手裏却只有鉄筆一支。
他們沒燒的
問你要柴，
（一百斤柴
要幾十塊！）
他們沒吃的
向你要米，

80

(米價像湖水，
一刻一個樣！)

油鹽醬醋……
你得全管，
開門七件事
一樣也少不的！
天寒了，
不能叫他們挨凍，
老粗布一身
就抵你一個薪金，
可是涼風到時候就來
它曾不設想，爲着窮人。
刻板一樣，
你把生活列成公式：
早晨從家裏
走到辦公室；
下午從辦公室
走到家裏，
刻呀，刻呀，

從木板刻出飯來，

刻呀，刻呀，

眼看別人升階級

已經四年了，

他依然掛一個「准尉」牌子。

卅年八月

69

老嫗與士兵

（一）

兩間痨病屋
和她一樣衰老，
風的手爪
抓搔禿了它的頭毛，
牆上泥坯
一片一片的往下掉，
給時間的足跡
劃着記號。
夜晚不點燈，
星月漏給她一點光，
像淚痕一條又一條，

[illegible]水劃在牆上。

一口小鍋滿身是補釘，

讓它常常餓着，她真也無

[illegible]作現報，一點也不差，

它也不把一個溫飽給她。

[illegible]裏扔炸彈，

她縮在牆角裏打戰，

[illegible]也同樣的害怕，

渾身一勁的痙攣。

大砲響，

隔幾十里路遠，

[illegible]頭上的土塊[illegible]

[illegible]身子扔個稀爛。

她厭煩打仗，

她害怕打仗，

老伴死在戰爭裏，

兒子——蟈蟈腿上一根毛，

也從她手裏給拔掉，

換來一張白條貼在門旁

害怕打仗

71

她却關心打仗，
隊伍從公路上過，
她站在一邊巴望，
昏花的老眼
抓不住一張面孔，
可是在每一張面孔上
她都寄出一個希望，
不，不是一個希望，
是一個渺茫的幻想。
舊的傷兵剛走，
新的傷兵來塡，
招待所裏的舖位，
一天也不讓它空閑。
她並沒負什麽任務，
她每天都到招待所去，
去同受傷的弟兄談談話，
這樣她心裏感覺舒服。
她問他們的家鄉
離這兒多遠？
她問他們離家

已經幾年？
問他們家裏有沒有老娘？
是不是常有信息往還？
傾盡了慈悲
她把感傷帶回家，
一直帶到夢裏，
鄉分兩一點也不減差。

胡行亂走的雲
像掙脫了管束的小兒，
一碰頭，停住脚，
把身子擠在一起，
想落雨，又遲疑
像大家在商量；
意見還不齊一。
麥苗像早熟的孩子，
飢黃筋瘦挑不起腰肢，
這是因為營養不足，
餵它的，不是土壤是砂石。
她立在麥隴間

勉強投出鋤，彎下了腰，
風，掀開了胼單衫，
要將這一把老骨頭抓跑。
拉回鋤來，
鋤桿做了手杖，
它扶持着她，
向老遠老遠的雲天張望。
她投出了目光——
投出了一個孤絕的希望，
探尋了許多時，
最後落到了兩個士兵的身上。
他們在給戰死的弟兄
鋪一張安息的牀，
你一鍬土，我一鍬土，
土上帶着青草，
草葉串着水珠，
淸新又晶亮。
他們叫手裏的鍬，
慢慢起，慢慢放，
把一個長的空隙

留給悵惘和悲傷。
「他們可也有家鄉？
他們也有妻子爺娘？」
「他們有家在江南，
他們打仗來到北方，
誰不是爺娘生養？
爲了國家才上戰場。」
她的每根白髮
繫一個悲傷，
一齊在春風裏掙斷，
看它們漫天飛揚！
「不打仗不好嗎？
爲什麼要打仗？」

滿臉的哀愁，
放出了一個萎弱的希望。
「你去問日本兵，
爲什麼要打仗！」

嗡拾起了這話的鑰匙，

低下頭，去開她思想的鐵箱。
「我們就不能打走他？
叫他的飛機不再來轟炸！」

她的頭又抬起來了，
凝固了眼光等着回答，
「那不難，打倒他，
只要男兒一齊上前線。
不再戀家！」

她放開了額上的縐紋，
放走了兜着的悲傷，
嘴角上開出一朵笑，
扶着鋤桿，她又開始向天邊遙望。
（真的嗎？
她默念着這幾句話。）

月亮在頭上

「您才從淮河岸上來，
才從我女兒身邊來，
可以告訴我嗎，
她近來生活得怎樣？」

「我才從淮河岸上來，
才從喬同志身邊來，
我清楚她的現況，
就同你清楚她的過去一樣。」

靜聽兩個人說話，
星斗在天上。

「已經好久了
　沒有信寄回來，
　生活得可好？
　身體可健壯？」

「她的精神
　比身子更硬朗，
　信，也許像遠征的雁，
　半途上，折斷了翅膀。」

相對的面孔是陌生的，
話頭却點燃了兩個胸膛。
「她，才十六歲的一個孩子呵，
從小學到中學，
十六年沒離過這個庭院；
十六年沒出過這座城圈：
戰爭把她叫走了，
一個人走得那麼遠。」

「不，她不是一個人，

78

她的同伴上千上萬，
同她一樣，被戰爭叫出來，
從不同的家庭，不同的地方，
她們以天下爲家，
命運把人拉在一條綫上。」
她一半微笑的
嚼着客人的話。
「這孩子——
我生命的根芽！
『母女相依爲命呵』，
不只一次的，我們說過這樣的話。」

「她也不止一次提到你——
她相依爲命的母親；
但是，爲了祖國——
四萬萬人的母親，
她把自己送到了戰鬥的前綫，
同被暴手所扼抑的人們，
同被壓榨得不能喘息、
不能生活的人們，

79

踏進了一個命運。」

月亮爬過牆頭
開始向人窺探了。
「這個孩子是輭弱的呵，
從來沒有吃過苦，
每次來信，都說生活得很好，
想吧，游擊隊裏的生活……
『很好』，這句話
我知道它的意義。」

「天天有路跑，
追擊敵人，
或為敵人所追擊，
吃千家飯——
老百姓的飯是樂意為我們吃的，
苦嗎？那是笑話，
苦，在情願中吃下去的時候，
在為了一個偉大的目的吃下去的時候，
在同志們同樣的吃下去的時候，

苦，就不再是苦了。
路，把腿跑硬了，
苦難把心磨硬了·
而工作給每個人以快樂。」

月光跳躍在花枝上，
跳躍在大廈的瓦菓上。
「小的時候，
我是她的母親，
也是她的家庭教師；
在小學裏的時候，
我是她的母親，
也是她的教師；
她應該再回到中學裏去，我覺得，
戰爭現在拉緊她，
因爲現在需要她
當不需要她的時候，
會一手把她扔開。」

「現在，她正在住一個學校呢，

她正在讀一本偉大的書，
她是先生
是敵人，是士兵，是老百姓……
這個學校不會叫她落後，
而是教她怎樣去站立在大時代的尖端上。」

月光的柔手
摸亮了「一門三進士」的匾額，
「工作牽着她，怕不得回來
我想去探看她一下，
看看她變成了個什麽樣子，
看看什麽使她變成了這個樣子，
可是，路很長哩……」

「去吧，路是長的，
像從一個世界到另一個世界那樣長，
但是，艱難並不可怕，
只要有一個亮晶晶的希望
安放在這條路的盡頭上。」

「好，去吧，我就去吧，
路是長的，是的，
但是，我的希望更長……」

月亮在頭上，
照著她笑着的臉，笑着的心，
也照着，另一個世界裏的
她惟一的姑娘。

廿九年十月卅一日

給

上帝給享受的人
一張口，
給了奴婢
一個轗的膝頭，
給了拿破侖
一柄劍，
同時，也給了奴隸們，
一雙反抗的手。

[illegible]

型

不怕硬板櫈，
把屁股坐爛，
抱緊住「職業」，
在辦公室裏
熬時間，
他有木頭的
神經，
他有橡皮的
脾性，
他有
笑的臉，
他有

卅一年

給坐轎子的人們

鳥兒有
一雙翅膀，
用它飛；
爲了行動
人才長了
兩條腿，
有腿，
你却捨不得磨鍊，
叫四個肩頭
把你聳上天，
坐在「空中樓閣」裏，
悠然又飄然，

閉起了眼睛做神仙。

當心點，
道路是崎嶇的，
當心從夢裏，
被扔到現實的面前。

標準線

饑餓
同憤怒的火
同時燃燒。
當你陷落在
地獄中時，
對於天堂裏的人們
投過去仇視的眼；
當悲哀
熬乾了你的眼淚時，
你要批判它——
那笑嬉的臉！
當手頭困乏得

只剩一文錢根，

望著走進商店的人們，

你痛恨！

讓你把正義的手所指的方向

作一條標準綫看：

一邊的人

兄弟一樣近；

一邊的人

仇敵一樣遠。

卅一年

十二月的風

十二月的風，
像一個寃抑的靈魂，
到處呼喊出
凄厲的聲音，
它用鉄的翅子
向中原的黃土掃蕩，
沙塵要捲跑
這田野，村莊。
鴉陣，
像張不穩的黑帆，
在風前
啼叫飢寒，

空中的烏雲
緊打著結子，
天，陰鬱的深垂著
解不開的容顏。
裸體的樹木
抱起村落冬眠，
（村落，
　畫一個一個灰圈）
祖墳在村頭
替子孫把守田園。
壯丁
挖戰壕去了，
（冷風裏，
掄起的胳膊賽紅銅）
像一個隊伍
逐著敵人的戰車，
一羣小孩子
追起旋舞的風圈。
我以疾速的步子
在風沙撲面的古道上奔馳，

續

北風的尖嘴
猛嚙我的戎衣，
薄汗給身子添一點熱，
一住脚，
肌肉上貼一片冷鐵。
戰友們，各自低著頭
一句話也不交，
趕上前綫去，
興奮扯得人心亂跳。

二十九年冬

羝羊台上的宣傳臺

一隻羝羊
被牧童一手牽走，
留下這蒼頹的古台
和一段神話共垂不朽。
它帶著千百年時光
點在臉上的霜鬢，
屹立在淮河岸上
像一位鑊鑠的老人。
永遠不知休息的浩波，
流走了它寂寞的歲月，
日夜不知疲倦的大炮，

14

震聰了它閉塞的耳朵。
臉前的崗哨，
背後的戰壕，
像武裝的彈帶
纏了它一腰，
古壁上掛起一張新畫，
一地冰雪同畫面爭白，
從朔風那邊借來了勁翅，
它呼號的掙扎著要起飛。
這張畫並沒長著號召的嘴，
市上的人羣却擠著往這裏偎，
做生意的離開了他的貨攤，
（忘了貨物可以飛走，
　不用長腿，）
趕集的人空著手裏的竹籃，
（忘了家人盼望他
　依著門望，）
正午的太陽
也驅不散這一羣，
這張布畫

拴住了他們。
如果一注眼光
是一條針尖，
這幅畫
會給針尖刺爛！
雖然上面沒有寫字，
用眼睛代替耳朵，
他們向著畫圖
聽一個動人的故事。
高低的山頭
參差五指亂立，
最高峯上一面大旗，
天風吹揚著「青天白日」，
西面山腰間，
一片白布黑一輪奄奄西下的落「日」，
槍口對槍口，
正如山頭對山頭，
戰士列起戰鬥的姿態，
不讓敵兵跨上山來！
茅草房舍，

稀疏山林，
幾筆淡墨
勾出一個個山村，
死尸在地上縱橫，
山村在火口裏呻吟，
逃難的人影迷離在戰煙中，
血同火顏色不分。
一個戰士倒在地下，
許多弟兄把他扶上担架，
搖著手，裂著口，
向著敵人的方向，他用力掙扎。
但是，担架終于下來了，
沿著一條山徑，
血滴像簷溜，
顏色却不同。
觀衆們，手指著畫，
口裏在議論，
是把它解作了
神羊台戰役的寫眞？
一樣的山巒，

一樣的戰煙，
迷離在戰煙中的難民
說不定就是他們自身。
然而，這個解釋却是錯誤
這是大別山打船店之戰！
在担架上流血的不是別個，
是韓團長，這場惡戰的指揮官。
這一點却是正確，
打過打船店的韓團長，
最近，在神羊台也大露過鋒芒，
可是，有幾多弟兄
從畫上的大別山走下淮河岸來，
用同樣的槍
從敵人手裏奪回神羊台？
同趕集的民衆磨肩的弟兄，
有幾個不是補了崗位的新兵？
（那個人卸下了責任，
　也交出了生命）
而韓團長，他却帶一身創疤
夾在人羣裏作了觀衆的一個，

97

用看過百戰的眼睛，
來鑑賞自己的這一篇傑作。
這處響過來，隆隆的炮聲，
羣衆却沒有一點騷動；
炮聲激怒了畫上的戰士，
羣衆像置身在戰鬬的畫圖中。

廿九年五月

比照

當你梳攏頭的髮辮，
當心有人這麼問：
「你的思想比它長短？」

當你用脂粉在雙腮上開出花朵，
請記起希臘哲人的一句話：
「美麗的惡。」

當你用眼光
愛憐着自己的影子，
你的天地不過三尺。

當你想像一個崇高的人格，
「裏面裝了些什麽？」
應該先檢查一下自己的腦殼。

珠寶，絲絲和愛情
把你裝飾得很動人，
但是，你問自己：
「用什麽裝飾了心？」
一個放亮的小漆皮包，
你把它塞得那麽飽滿，
但是，你用什麽
填起了生命的缺陷？

高跟鞋
並不能把你提高，
今天，你該用照慣了容貌的小鏡
照一下自己的魂靈。

卅二年二月九日

紅　星

每天，我打開地圖，按着報紙，
去尋找許多城市的名子，
我的眼在紙面上匆促的旅行，
從這個黑點的「站」
跳到另一個黑點，
像仰臉向天空
尋找幾顆星，
它的光輝最燦爛。
啊，距離不過指頭長短，
在這一指頭當中
佈列下千條水，萬重山，
不用眼睛，用心去看，

看這些光榮圈裏的城市
離我們又是多麼遙遠。
可是，每當我一合上眼，
同紅色的戰士就對了面，
彷彿一伸手
就可以把你們的手抓過來，
在冬天戰地的太陽下，
我們揭開心胸來談天。
我聽你們講，像講故事一樣，
希特拉的隊伍
挺着胸脯開進你們的國土，
原來是爲了送死和投降。
我從你們每一個的眼睛裏
發掘出崇高的人性，
陽光射上了
你們帽子上的紅星。
從你們的手上
我可以感到你們心地的溫良，
這隻手，如果放下槍，
它可以去開動康拜因機，

它可以進工廠，
也可以用它蒙上自己的眼睛，
在月亮底下，同一羣小孩子捉迷藏。
瘋狂，凶惡，殘忍，
侵略者的血裏繁殖着細菌，
爲了給人類消毒，
勇敢把你們變成神！
你們把握了
爲眞理犧牲的這一顆至寶，
你們捍衛着祖國，
像羣星拱衛北辰。

卅二年二月十一日

103

窗子，是從黑暗
投向光明的一隻眼睛；
是從人
通向自然的一個瞳孔；
是從孤獨
開向生命之流的一個小洞。
太陽，
突破了濃霧的網，
我眼前便落下
一方喜悅的藍天。
太陽以它的金光
試探我的心胸，

想從苦痛的硬殼下
開發出歡欣的礦。
我常是無聲的坐在窗下，
苦惱結在眉頭上，
幻想向西天展翅，
追起白雲飄飛。
大自然來和我相親：
嘉陵江耀眼的銀鱗，
還有舟子的歌聲，
　　　　帆片的雲。

窗子攝取來
山色的風景片，
上面繪着樓台，
　　繪着夕照，
　　繪着清秋的淡遠。
打一個通夜，
窗子睜着眼，
為了伴它，
我的眼睛也常是不關。

聽一個人，
從窗前的小道上
走過去了，
一個步子
一朵寂寞的花，
聽兩個人
走過去了，
說着話，
我的想像緊追着它。
我，雖然被孤寂
鎖在這個小房間，
被夜的恐怖按倒在牀板，
但是，窗子却使我的心
流進生命的海，
窗子是我靈魂的眼。

卅二年十月

拍

身子緊貼着身子，
兩個人像長在一起，
低聲的說着話，
可是，誰也聽不清說了些什麽。
吵鬧打攪不了他們，
大街是他倆的世界，
擠來擁去的人羣，
在他們眼裏似乎不存在。
傍在她身邊的那個男人，
五年前應該是我，
時光老人眞會玩戲法，
于今給她另換了一個。

（我怕看他，又偏要看他！）
我也曾經這樣
同她肩並肩的走過，
走過了許多地方，
走過了那麼長的一段路，
今天，還想它幹什麼？
過去的就讓它過去！
起先，在人頭一閃的透明中，
半個側面送給了我的眼睛，
臉上發燒
一隻手在拍我皮球的心，
雖然像是不會有的事，
但我決不相信是錯認了人。
我強制我的脚步照常向西走，
讓她往東去，一直不回頭，
像路人一樣各走各的路，
命運早已經叫我們分手。
像聽從了神的召喚一樣，
我跨過了大街——
跨過了六年的時光，

用一隻不是我的手，
輕輕的，從背後，
拍了一下她的肩頭，
她回過臉來，
臉上帶着病，
（他，向着補上來的一個陌生人，一面談
　笑，一面走。）
像秋天的一片黃葉，
飄泊在寒冷的溪水中。
她的一雙脚並沒有泊碇，
想走，又遲疑了一兩分鐘，
臉像「朝陽花」東西亂轉，
太陽，一個在東方，
　　一個在西邊。
她沒有說什麽，
也沒有一句話問起我們的兩個孩子，
驚異嚇住了她？
我不相信，
她的表情總歸測不透，
就讓我的眼睛不曾低下。

我覺得，她的眼光在我週身跳動，
從頭到脚，一點也不放鬆，
像是要用快照
給我照一副像，
而一雙抖戰的手
却叫這「鏡頭」對不準光。
她立刻就跳脫了，
像跳脫一個噩夢，
說她沒說話，
我却聽到了一個
熟習而又陌生的語聲：
「你到那裏去？」
話平淡得像水，
一觸到我的心
却結成了冰。
我向着我的方向走，
用牙齒咬我的那隻手，
痛苦已經睡死了，
爲什麽要把它拍醒！

卅一年二月

運輸大隊

紮着雜色頭巾的，
帶着褪色的「抗日」草帽的，
打着紅把子小辮的，
挽着小破髻子的，
雜牌的隊伍一樣——
這兵監部的民伕大隊。
他們的衣服破爛得不成形，
生活一樣不像個樣子；
汗氣從他們身上發散出來，
像多年沒掃除過的毛廝坑。
每人的背上
揹一個「背子」，

腰，拚命的向前拉弓，
好和它們的重量角力。
山路窄得
只能放下一隻脚，
右邊的青峯
是一位頂天立地的英雄，
左手的谷壑，
使人不敢投下測量的眼睛！
他們，被這一條小道
穿成一大串，
粗布手巾
把臉揩成了紫色，
而太陽，
它是一塊火炭。
銀牙一樣的大米，
從號稱「天府」的巴蜀
坐上長江的大船；
又在「巴東」
落地，
然後，一包一包，

孩子似的，
爬上了他們的脊背。
這米，
是農民辛勞的
結晶體；
是和自然鬪爭的
勝利品，
是從千家萬戶的倉囤裏
一升一斗的
拚集在一起。
他們從阻隔着山水的大後方，
一步一步的移到戰地上，
老百姓，
口裏不吃肚子裏挪，
打仗的弟兄們，
却不能一天斷了口糧。
敵人的汽車
在公路上飛躍，
我們步子接連起步子，
從荒山上開闢出路來，

113

用雙腿去和摩托賽跑。
茶水站，
把人口裏的黏液
誘引出來了，
每個人停了脚，
來一聲嚎叫：「嗷！」
感謝這一杯水
澆一下心頭的火，
貪戀着草棚的涼蔭，
使他們從太陽的烤炙裏
暫時逃脫。
黃昏伴送他們
到一座古廟，
古廟立刻有了生氣，
扔下了背子的重載，
像扔下一個累人的孩子。
吵鬧着，
幾乎是槍奪着，
晚飯
打發過了餓肚皮

一個人一個鋪位，
一沾地，
鼻子裏就打雷；
大殿裏
人潮息了
星星從瓦縫裏
投過眼睛來——
帶着銀色的愛的光輝。

三十一年

115

人類共同的娼婦

金錢——
潔癖人口裏的『阿堵物』，
莎氏比亞眼裏
「人類共同的娼婦」。
你是
古帝王寶座的雙腿，
你是
雄心的支柱，
你是友情譜上的金字，
你的手
撥弄着可憐的人類，
你能使

老死的愛情
恢復青春，
你能使
亦戀的情侶
翻臉變心，
你能使
硬骨頭輭癱，
你能使
良心銹爛，
你能使
一個鋼鐵的意志
屈身，
使聰明
歌頌愚蠢，
你能使
強者弱，
弱者強，
你變幻着人間的顏色
像變幻戲法一樣，
你叫憤怒的臉上

立刻渙上歡喜，
你能把人類
變做服貼的奴隸，
你能叫
平地跌倒人，
却也能
叫天險夷成平地，
你使斯巴達王
這樣歎息：
「我本可以
殲滅波斯軍；
但是我失敗了——
只因爲一萬個「波斯弓人」。（註）

「只要有隻驢子
滿馱黃金能進得門去，
任何堡壘
都可以攻陷的！」

馬其頓王

牠最認識你的價值。

金錢，你這人類共同的娼婦，

看你到幾時

才把金[illegible]

交給「眞理」。

註：錢也。

三十一年

119

輸血

——蘇聯戰士爭爲榮譽戰士輸血——

在醫院的病室裏，
我看見過輸血的人，
把胳膀脫出袖筒，
扭過頭，關上眼睛。
鋼針的尖嘴
猛一下刺入肉裏，
玻璃管裏的血
一格一格的升，
他的臉色
一刻一刻的蒼白。
當醫生把鮮血

注向病人的時間，
他，輸血者，
手托着頭額，
天地在他的眼前旋轉。
按照血的數量，
他領到了
他應得的金錢，
爲了治療
眼前的飢餓，
他把自己的血肉
送上市場！

爲了朋友的義氣，
爲了骨肉的親切，
情願把血液貢獻出來，
這也是常常經見的事。

可是，在蘇聯
在傷兵醫院的門口，
不是爲了生活，

也不是爲了親友，
却有一羣一羣陌生的人民
來給戰士們送血。
（其實，他們比朋友更關切，
　比家人更親密，
　他們是「同志」，
　他們共生死！）
民衆，
他們知道戰士的血
流在了什麼地方；
民衆，
他們看見
在斯達林格勒，
在黑海邊沿，
在另外一些光榮的地方，
戰士們怎樣用紅血
創造出光榮的傑作！
他們倒下去了，
而他們守衛着的城池
在敵人不次的攻勢下

吃立著；

他們倒下去了，

希特勒的銳氣

一下子頓挫；

他們倒下去了，

血滴結成了金色的戰果。

可是今天，

他們却倒在病院裏，

以藥石，

以衰弱的白血球，

同敵人鉛彈所給予的創痛

戰鬥；

同敗血症的毒菌

戰鬥；

同一切乘虛攻過來的病症

戰鬥；

同死戰鬥！

就如同

同「法西斯病菌」戰鬥一樣。

他們如何的
需要新生的力量，
他們如何的
需要新鮮的血球——
戰鬥的血球！

蘇聯的羣衆，
斯達林的子民——
戰鬥在後方的戰士們，
他們生在祖國的柔蔭裏，
他們也樂於爲祖國
貢獻出
自己所能貢獻的一切！
他們一羣一羣的，
爭先恐後的，
微笑着伸出
盤結着鋼筋的胳膊，
鮮紅的活躍的血，
在皮底下湧泉一樣的流。
他們看着自己的血

一滴一一滴的湧注到
玻璃管裏去，
再看著它
一滴一滴的
注進了戰士們的身上，
戰鬥的血交流在一起，
他們的眼光
流露出神聖的驕傲，
　　和高貴的欣喜。

卅一年

從夢到現實

——贈之琳——

像從異鄉的風雨裏，
意外的，碰上了一個多年的友誼，
前些天，從米亭子的舊書攤上
我帶回來一本「慰勞信集」，
漬汚告訴人，誰的心
在字行間徘徊過，
在別人的圖章上
我蓋上了自己的名子。
十年前，在青島的石頭樓上，
我對着大海，讀你的「三秋草」，
「十年詩草」，十年後，
它同嘉陵江水，一併

裝飾了我的案頭，

（我是聽了呼喚來的，

　山城，叫它一聲戰時京都吧。）

如果「老朋友」這三個字，

是從臉上下的定義，

那麼，不客氣，

我們還是對面不相識。

可是，扳起指頭來算，

一年，二年，眞眞是十年了，

你查一下生命的流水賬，

在北平記下的那一筆。

（北平，這名子，對你是多麼親切

　又多麼陌生。）

「我來一本三秋草，

　你也來一本什麼吧。」

好，壯一壯朋友的神色，

我也來一本[illegible]「烙印」。

養它，我們自己花錢，

自己設計，讓自己的心血

在紙上開花。

拿熱心為它跑腿，

盡量的把它弄得美麗，

總為了一個崇高的情趣，

替別人打扮一個醜孩子。

幾年前，你曾經在紙上

（是幾年前？）

給我畫過一個夢，

說我坐火車到了北平；

今天，眞是「奇哉」，

汽車把你從千里外開來，

從我的夢以外。

可惜從郵差手裏

接受下來的那張像片，

壓在一隻箱子底下，

而這隻箱子已經沉到了愛的海底。

「丟掉也罷，

　那是幾年前的一個影子，

你看，今天我不是
站在你眼前了嗎？
一腳跨過了十年——
從夢到現實。」

這是他最後的土地要求

希特拉，

他用「閃電」的法寶，

擊破了

馬奇諾防線，

擊破了

赫赫將軍的胆，

擊破了

十幾個國家，

他們貢獻出

土地和自由，

獻跪在希特拉面前

聽候他的驅遣。
他的小鬍子
翹得更起勁，
他的眼睛老是望着天，
他要一口吞下五大洲，
他想叫一個荒唐夢
實現在白天。
他教他的人民
學着挨餓，
他不造麵包
只造炸彈，
他榨盡了
被征服土地上的一切資源，
連同着人民的自由和血汗。
他驕傲着自己的羽毛已經豐滿，
放開胆兩面作戰，
他撕碎了
用信義的手簽訂的條約，
突然用八百萬大軍
進攻這人間的伊甸——蘇聯。

他自號反共的「十字軍」，
[illegible]然在他的掌握間，
（忘記了自己的手
　曾痛撕過「我的自傳」。）
可惜赫斯的苦肉計
被遠大的眼光看穿。
誰都知道，
希特拉想死了
烏克蘭的穀豆，
巴庫的油田，
誰都有眼，
希特拉想闖進莫斯科
踏著拿破侖的路線，
如同踏進巴黎的凱旋門，
吐一萬丈氣焰！
砲口還沒開，
肉口他先開：
「擊破蘇聯，
　只須四個禮拜！」
（日本，他的伙伴，

吹氣已不讓他占先）

希特拉這一次錯打了算盤，

蘇聯不是法蘭西，

不是奧地利，

不是捷克，

也不是波蘭，

蘇聯早已準備好了一條鐵棒，

等爲了打擊這一隻野猪，

等它插嘴

到這豐美的田園。

偉大的斯大林

在發號施令，

兵工廠的煙囱

日夜煙騰，

從白海貫扯到黑海，

英雄的紅軍

擺列開千里的陣容。

爲了保衛

自由的生活，

爲了保衛

人間的正義和文化的財寶。
他們衝向人類的公敵，
用殉道的精神，
悲壯的氣勢。
戰報寬慰了
多少好意的關切，
希特拉的機械化師，
一個一個的被殲滅！
戰報
打擊希特拉的嘴巴，
他的法寶
早已失掉了時效。
我們看見，
英蘇的機羣
連起翅膀轟炸柏林，
我們看見，
美國用同情的手
把物資送過來，從西半球：
我們看見，
蘇聯的抵抗力

轉了全世界人士的視線，
主動的南針，
已從希特拉轉向了蘇聯。
從夏到冬，
從去年到今年，
時間諷刺著希特拉，
等待他的
是點水成冰的冬天！
他慫恿著
他脆弱的伙伴
從東方下手，
但是日本，
脚下牽着中國的鎖鍊，
頸上帶著
英美加給他的「項圈」，
遠東的紅軍
強大有如泰山，
飛機正計劃著
到東京的路程所需要的時間。
起初是希特拉好戰，

而今是他不得不戰，
爲了裝胖子，
他打腫了自己的臉。
希特拉有那一天，
那一天已經不遠，
他的人民向他要麵包，
他的軍隊倒戈相見，
後面趕來了追兵，
被他征服的一齊翻臉！
那時候，這一世的雄心
將交給黃土一坯，
天才的詩人
已經替他作好了墓誌：
「這是他最後的土地要求。」

卅年八月

太陽勝利了

「爸爸，我的頭有點暈，
我覺得好像是病了，
剛才還是好好的，
當我走出校的大門。」

（太陽缺了一點邊）

「孩子，頭暈的不是你一個人，
爸爸也是這樣，
全世界上的人都是這樣，
你明白嗎，這是爲了什麽？」

「爸爸，你看書本子上的字
也變了顏色，

樹葉的影子
也像是病了，
它很輭弱的躺在地下，
一刻比一刻蒼白……」

（陽光一點一點的淡）

「你病了，我病了，
世界上的人，
連上一切的生物都病了，
因爲今天是日蝕，
黑暗要把光明吞吃，
就在這時候，
在世界的另一些地方，
白天成了黑夜，
天空裏亮出星星，
我們到屋子裏去點上燈，
燈光鬼火一樣的紅……」

「爸爸，你聽四下裏亂響槍，

出了什麼亂子，我怕！
你聽，敲起鑼來了，
鼓也咚咚響，
這是怎麼一回事？爸爸。」

（太陽剩了少半個臉）

「你聽過這樣一個故事嗎？
日蝕就是天狗吃太陽，
然而，光明是我們所需要的，
光明是整個人類所需要的，
沒有光明
我們就沒有看見前面的路，
沒有光明
我們就沒有了生命。
太陽是我們的！
光明是我們的！
我們不能看著
光明受難，
我們不能讓這隻天狗

139

吞去我們的生命，

槍，
是爲了打天狗而響的，
你的槍，我的槍，他的槍，
有槍的人
全都站在光明這一邊。
鑼鼓，
是衝鋒號，
它鼓舞著太陽
向他的敵人戰鬪，
鑼鼓
是爲了叫出人類向光明的心
而響動起來的，
是爲了
對黑暗示威而鼓噪起來的。」

爸爸，我要把我們的小沙鍋
拿出去敲，
爸爸，我不讓
天狗把太陽吞掉……」

（太陽像一個月牙）

「孩子，你就去吧，
生在這世界上的每一個人
都應該
爲光明而鬪爭。」

「爸爸，天狗打敗了，
太陽全出來了，
小孩子們
都拍著手喊叫，
大人們
也拍著手喊叫，
大家都歡迎太陽，
太陽戰勝了。」

「是的，孩子，
黑暗再濃重
也只是一時，
光明却是永久的照耀。」

141

《太陽用感謝的臉向着間人》

卅年九月廿八[illegible]

本書著者的其他著作：

書名		出版處	
烙印	（詩）	開明書店	（桂）
罪惡的黑手	（詩）	生活書店	（渝）
自己的寫照	（長詩）	生活書店	
運河	（詩）	文化生活出版社	（渝）
從軍行	（詩）	生活書店	
泥淖集	（詩）	生活書店	
嗚咽的烟雲	（詩）	創作出版社	（桂）
淮上吟	（長詩）	上海雜志公司	（渝）
古樹的花朵	（長詩）	東方書社	（蓉）
向祖國	（長詩）	三戶圖書公司	（桂）
泥土的歌	（詩）	今日出版社	（桂）
感情的野馬	（長詩）	當今出版社	（渝）
我的詩生活	（散文）	讀書出版社	（渝）
亂莠集	（散文）	良友圖書公司	（桂）

國旗飄在雅雀尖

作者 臧克家

主編者 中華全國文藝界抗敵協會成都分會

發行人 李旭昇

發行者 中西書局

總局：成都祠堂街三十四號
分局：西安南院門三十九號
重慶較家巷第十六號

總經銷 中西書局
復興書局
東方書社

中華民國三十二年十一月初版

定價每册 元

中華全國文藝界抗敵協會成都分會叢書編輯委員：

李劼人 陳翔鶴 陶雄 葉聖陶
碧野 謝文炳 羅念生

四川省圖書雜誌審查處審查證圖字第八七四號